Rodolphe dédie ce livre
à son petit Louis et
remercie Géraldine pour son soutien,
quant à Thomas, il salue son fidèle Billy
et le remercie pour tout.

ISBN 978-2-211-22896-1

Loi numéro 49 956 du 16 juillet 1949 sur les publications
destinées à la jeunesse : novembre 2015
Dépôt légal : mai 2017
Imprimé en France par I.M.E. by Estimprim à Autechaux

Édition spéciale non commercialisée en librairie

Cours, Youki !

Une histoire de Thomas Bretonneau illustrée par Rodolphe Duprey

l'école des loisirs
11, rue de Sèvres, Paris 6e

Youki aime courir !
C'est drôlement amusant de courir.

Mais courir après quelque chose,
c'est encore mieux !

YOUKIVILLE

Ou alors, courir
après une voiture.

C'est rigolo aussi !

**Ou même, courir
après un avion !**

Et pourquoi pas ?

Soudain, Youki entend
des pas derrière lui…

Oh non ! C'est encore sa voisine Carmen qui lui court après !

Quel toupet !
Youki n'aime pas du tout
qu'on lui coure après !

Ni vu ni connu,
il se cache
sous un petit pont.

Surprise !
Le voilà qui sort de sa cachette !

**Maintenant,
c'est lui qui court
après Carmen.**

« Ne t'arrête surtout pas ! »
dit Youki. « C'est bien plus rigolo
dans ce sens-là… »

Youki et Carmen
courent, encore et encore !

À force de courir,
ils font le tour du monde…

… et ils reviennent à leur point de départ.

« Moi j'arrête là ! » dit Carmen.

« Je t'ai rattrapée ! »
fanfaronne Youki.

YOUKIVILLE

Puis il s'allonge à côté d'elle et s'endort.

«Tu te trompes!» lui dit Carmen.

«… C'est moi qui t'ai attrapé !»

fin